Un hogar para mí

La casa

Lola M. Schaefer

Traducción de Julio Fonseca

Heinemann Library

Chicago, Illinois

Designed by Sue Emerson, Heinemann Library
Printed and bound in the U.S.A. by Lake Book

07 06 05 04 03
10 9 8 7 6 5 4 3 2 1

Library of Congress Cataloging-in-Publication Data
Schaefer, Lola M., 1950-
    [House. Spanish]
    La casa / Lola M. Schaefer ; traducción de Julio Fonseca.
        p. cm. -- (Un hogar para mí)
    Summary: Briefly describes a typical house and how its different rooms are used.
    Includes index
    ISBN 1-40340-268-X (HC), 1-40340-490-9 (Pbk.)
        1. Dwellings--Juvenile literature. [1.Dwellings. 2. Spanish materials] I. Title.
    GT172.S3318 2003
    392.3'6--dc21

                                                                    2002027259

Acknowledgments
The author and publishers are grateful to the following for permission to reproduce copyright material:
pp. 4, 12, 13, 14, 15, 17, 19, 20 Robert Lifson/Heinemann Library; p. 5T John Elk/Bruce Coleman, Inc; p. 5B Bruce Burkhardt/Corbis; p. 6 Mark E. Gibson/Corbis; pp. 7, 18 Douglas Keister; pp. 8, 21 Jill Birschbach/Heinemann Library; p. 9 Wendell Metzen/Bruce Coleman Inc; p. 16 Charles Cook; p. 23 (row 1, L-R) Jill Birschbach/Heinemann Library, Robert Lifson/Heinemann Library; p. 23 (row 2, L-R) Robert Lifson/Heinemann Library, Heinemann Library; p. 23 (row 3, L-R) Robert Lifson/Heinemann Library, Douglas Keister, Robert Lifson/Heinemann Library; p. 23 (row 4, L-R) Greg Williams/Heinemann Library, Heinemann Library, Douglas Keister; back cover (L-R) Jill Birschbach/Heinemann Library, Douglas Keister

Cover photograph by Douglas Keister
Photo research by Amor Montes de Oca
Special thanks to our models, the Chan family, and to the Okelman family for letting us use their home.

Every effort has been made to contact copyright holders of any material reproduced in this book. Any omissions will be rectified in subsequent printings if notice is given to the publisher.

Special thanks to our bilingual advisory panel for their help in the preparation of this book:

Anita R. Constantino
Literacy Specialist
Irving Independent School District
Irving, Texas

Aurora Colón García
Literacy Specialist
Northside Independent School District
San Antonio, TX

Argentina Palacios
Docent
Bronx Zoo
New York, NY

Leah Radinsky
Bilingual Teacher
Inter-American Magnet School
Chicago, IL

Ursula Sexton
Researcher, WestEd
San Ramon, CA

Unas palabras están en negrita, **así.**
Las encontrarás en el glosario en fotos de la página 23.

Contenido

¿Qué es una casa?

Una casa es una construcción donde se vive.

La familia come, duerme y juega en la casa.

Unas casas están en la ciudad.

Otras casas están en el campo.

¿Cómo son las casas?

La mayoría de las casas son como **cuadrados** o **rectángulos**.

El **techo** puede ser como un **triángulo**.

Las casas pueden ser de madera,
de **ladrillo** o de piedra.

Muchas casas tienen un **jardín**
con árboles y pasto.

¿De qué tamaño es una casa?

Unas casas son pequeñas.

Todos los cuartos están
en el mismo piso.

Otras casas son grandes.

Tienen cuartos arriba y abajo.

¿Cuántos cuartos tiene una casa?

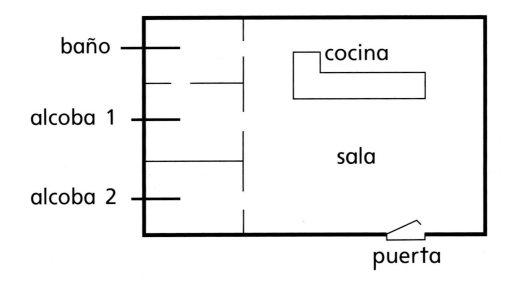

Las casas pequeñas tienen tres o cuatro cuartos.

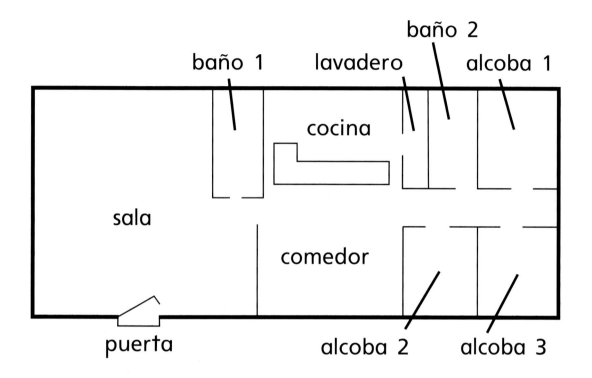

baño 1 lavadero baño 2 alcoba 1

cocina

sala

comedor

puerta alcoba 2 alcoba 3

Las casas grandes pueden tener
muchos más cuartos.

¿Dónde se conversa y se juega?

En la sala se conversa y se juega.

La sala tiene sofá, sillas y mesas.

Unas casas tienen una sala familiar.

Ahí se juega o se ve televisión.

¿Dónde se cocina y se come?

En la cocina se prepara la comida.

A veces en la cocina hay un lugar para comer.

La cocina tiene refrigerador,
fregadero y **estufa.**

Unas cocinas también tienen
lavaplatos.

¿Dónde se duerme?

Se duerme en una alcoba.

Casi todas las casas tienen más de una alcoba.

En las alcobas hay camas, **cómodas** y clósets.

Unos niños también tienen sus juguetes en la alcoba.

¿Dónde se bañan?

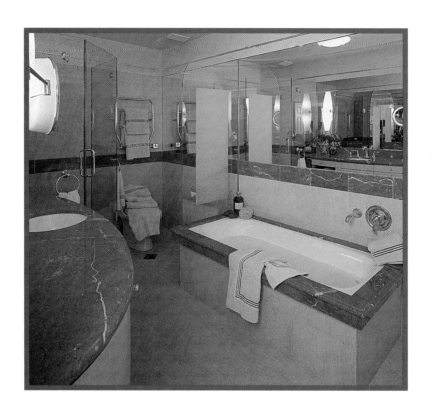

En el baño uno se puede dar una ducha o un baño de tina.

Los baños tienen lavamanos, inodoro, tina y regadera.

Unas casas tienen más de un baño.

Unos baños sólo tienen lavamanos
e inodoro.

¿Dónde se lava la ropa?

Casi todas las casas tienen **lavadora** y **secadora.**

A veces hay un cuarto para lavar que se llama lavadero.

Unas lavadoras y secadoras están
en el **sótano.**

El sótano es un cuarto grande que
queda debajo de la casa.

Prueba del mapa

¿Qué cuarto está al frente de la alcoba 3?

¿Qué cuarto está conectado a la cocina?

Busca las respuestas en la página 24.

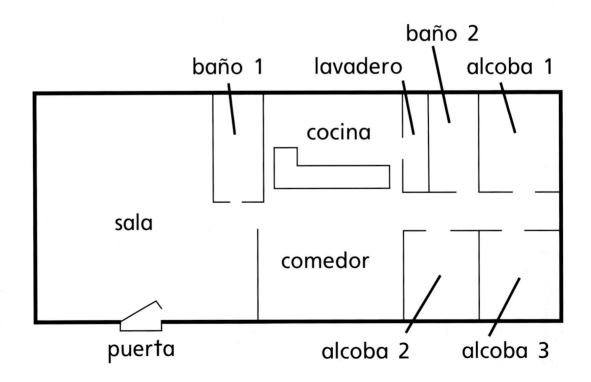

baño 1　　　lavadero　　　baño 2　　　alcoba 1

cocina

sala

comedor

puerta　　　alcoba 2　　　alcoba 3

22

Glosario en fotos

sótano
página 21

secadora
páginas 20, 21

estufa
página 15

ladrillo
página 7

rectángulo
página 6

triángulo
página 6

lavaplatos
página 15

techo
página 6

lavadora
páginas 20, 21

cómoda
página 17

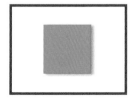

cuadrado
página 6

jardín
página 7

Nota a padres y maestros

Leer para buscar información es un aspecto importante del desarrollo de la lectoescritura. El aprendizaje empieza con una pregunta. Si usted alienta a los niños a hacerse preguntas sobre el mundo que los rodea, los ayudará a verse como investigadores. Cada capítulo de este libro empieza con una pregunta. Lean la pregunta juntos, miren las fotos y traten de contestar la pregunta. Después, lean y comprueben si sus predicciones son correctas. Piensen en otras preguntas sobre el tema y comenten dónde pueden buscar la respuesta. Use los dos mapas sencillos de las páginas 10 y 11 para que los niños aprendan a leer mapas. Después de hablar de ellos, guíe a los niños a dibujar un mapa sencillo, por ejemplo de su alcoba. Ayude a los niños a usar el glosario en fotos y el índice para practicar nuevas destrezas de vocabulario y de investigación.

Índice

Respuestas de la página 22

La alcoba 1 está al frente de la alcoba 3.

El comedor está conectado a la cocina.